# 哲学抄

丸野 宏
MARUNO Hiroshi

文芸社

目次

# 第1章　思想と実践

人間の幸福、人類の平和、世界ひいては宇宙の調和の為にこれを鑑《かんが》み記す。

二〇〇五年六月十日（木）

筆者の思想と実践しての因果が書かれている。

結局のところ
日蓮大聖人の
御本尊は
全世界
あらゆる人
物
生命に
授与された訳で

ことごとく
御本尊の
どこかに
居る訳である
あらゆる
生命は
十界《じっかい》から
出る事
あたわず
第六天魔王《てんのまおう》さえも
諸天善神《しょてんぜんじん》として
御本尊には
現されているのである。
あらゆる
存在は
御本尊であり

祈る者は
あらゆる存在から
護《まも》られるのである
たとえ
それが
十界の中の
地獄界であろうと
護る働きをするのである。
あらゆる存在は
御本尊なのである。

これは
己心《こしん》の仏性《ぶっしょう》
である。
法華経《ほけきょう》の行者には
三類の強敵が

必ず
現れる
私も
現れた
いや
現れている
三類の強敵は
消えはしない
己れの境涯《きょうがい》が
高まるのである。
法華経を説かなければ
三類の強敵は
出現しない。
しかし、死後
怠惰の罪をあらゆる
仏から受けるのであるから、

説くより他は無いのである。

一口に仏と言っても種々の浅深《せんじん》の違いがある。
理即《りそく》　理の上で一切衆生は仏である
名字即《みょうじそく》　始めて南無妙法蓮華経《なんみょうほうれんげきょう》を知った時
観行即《かんぎょうそく》　唱え出した時
相似即《そうじそく》　祈りが定まった時
分真即《ぶんしんそく》　他人に勧める境涯
究竟即《くきょうそく》　自分が南無妙法蓮華経と覚《さと》った人の仏である。

ところが、本然的に、一切衆生《いっさいしゅじょう》は仏であるのにも関わらず、間違った思想宗教により衆生は毒されてしまうのである。悪酒《あくしゅ》にたぼらかされて本心を失うのである。ここで言う酒とは思想や宗教、考え方を言う。

悪鬼入其身《あっきにゅうごしん》という。俗に鬼とはこれも又、自分勝手な宗教、思想哲学等を言うのである。

だが、この悪鬼入其身の人の、何と多い事か。法華経の行者を迫害する種々の災難が湧き出づる現実。

大聖人《だいしょうにん》様が立正安国論《りっしょうあんこくろん》で述べている様に、正しき法を立て国を安んずるより他の道は無いのである。

この世に生を受け、人は何の為に生まれ、生きているのだろうと考える。

宇宙の歴史は、仏と魔との永遠の戦いである。人を幸せに向かわせる勢力と不幸に向かわせる勢力である。

日蓮大聖人様は、久遠元初自受用報身如来《くおんがんじょじじゅゆうほうしんにょらい》であられる。大宇宙、小宇宙、限り無く続く宇宙の中で、その根本の法を無限の過去から体現なされた御本仏である。

我等はその説く所の南無妙法蓮華経に浴する事により、仏の勢力の一員として、宇宙の善なる連帯を拡大する使命にあるのである。

しからば、青年諸君！

一生を法華経の行者として成り通すならば、叶わぬ夢は無し、所願《しょがん》満足の人生が待っているのである。今ある不幸、これから襲い来る試練は、全て君自身が本当の君の幸せと成る為の肥料の様なものである。励み給え、励み給え、仏力、法力は無限、叶う叶わぬは、信力、行力によるものである。

難を受けきる覚悟があれば、自然に磨かれてゆくであろう。

どれだけ
慈しめばいい
どれだけ
悲しめばいい
仏の
慈悲を以て
一切衆生は
導かれる
私は
もう
恐くない
この身死しても
我が心は
勝ったのだから
歓喜溢れる
我が心

何ものにも壊せない
我が幸せ
我は今
悟った
一切は
御本尊なのだと
どうやって
彼等を導くか
どうやって
友朋《ゆうほう》を
報告するか
一切衆生を導く事を
我は常に考える
法性の大地を廻り廻りゆくなり

三類の強敵は

必ず現れる
現れなければ
法華経の行者では
無いのである
しかして、どう接するか
放っておくが良い
それらの人々は
自ら結んだ
逆縁《ぎゃくえん》により
一旦地獄に堕ち
後に悔悟して新たに
導かれるだろう
下種《げしゅ》が
大事なのである

常不軽菩薩《じょうふぎょうぼさつ》の行じた法は

一切衆生の仏性を礼拝して廻ったのである。

人々は気持ち悪がり、石を投げ付けた。しかし、不軽菩薩は石の届かない所まで退き、礼拝を止めなかったのである。

不軽菩薩はその功徳《くどく》により、後の釈尊と成った。

石を投げつけた人々はその罪により長い間地獄に堕ち、後に悔悟して釈尊の弟子に成り、成仏したのである。


一切衆生は南無妙法蓮華経という仏なのである。

法華経の敵を見ておいて呵責し、駈遣《くけん》し挙処《こしょ》せずんば、まさに知るべし、その人は仏法の中の敵である、とある。


私は、むしろ、そういう輩は、無視する事に決めているのだが。同じレベルになってやり合うのも実にくだらない。

愚者に貶されるは聖賢《せいけん》の誉れである。

無視する事は、反撃するよりも、余程、相手にとっては痛手なのである。

自分の犯した罪に気付かず、悪行を繰り返すのだから。

永遠の生命の因果の法則からすれば、地獄に容赦なく落とされる訳で、その人にとっては大変苦しむ結果と成るのである。

だから、私は厳しい者なのであろう。

だが、自ら苦しむ事により、悔悟し仏道を行じるならば、その人も又、仏と成るのであるから、慈悲深いとも言えなくも無い。


結局の所、信心が浅かろうが深かろうが、南無妙法蓮華経は精進行《しょうじんぎょう》であるので、修行に終りは無いのである。

悟りを得る。もう終わりというのは邪宗の考え方である。

悟りとは要するに、御本尊そのものであって我々は日々、それを拝するのである。

それは一生の間、と言わず、万生に渡り、永遠に拝してゆくものなのである。

生命の何たるか
それは一念三千《いちねんさんぜん》である
一念を

南無妙法蓮華経に
合わす時
個である自身の存在は
全である大宇宙の存在と
合致し
本然《ほんねん》の
自身の使命へと
導かれる事となる

例えば木があなただとすれば
南無妙法蓮華経は大地だ
祈るという事は
木がしっかりと大地に
根を張るという事
祈らない事は
大地から抜かれてしまう様な

ものである

頑張るというか
頑張らない
自然の自分で良い
楽しむ事だ
自己の成長は
自分でも嬉しい
何の為にか
人を幸福に
世界を平和に
する為だ
私のしている事は
その
一手段でしか
無い

私は
世のゆく末を
案じるのが
好きだ
しかし
それは
祈りがあって
こそなのだ

あの時代は
苦しかった
そう思える時が
来るだろう
だけど
苦しかった時代の

事は
君の原点だ
決して
忘れては
ならない
御本尊はあなたであり、あなたは御本尊なのだ！
一切衆生の仏性に礼拝しつつ――

**秘法**
あなたは全てである
あなたは法である
あなたは生命の源である
あなたは宇宙である
あなたは仏である
皆誰しも
南無妙法蓮華経という

仏なのだ
謗《ほう》ずる者はこれを知らず
故に秘法と言う

若かりし日の悩み
部屋で伏しながら
混沌の中で模索する
自分という存在を
昨日も考え
今日も考えた
変化を望みながら
何を望んでいるのか分からず
時ばかりが過ぎてゆく
見えない何かを
必死で見ようとして
感じる行き詰まりが

限界を迎えた時
運命の糸を回す
祈りを捧げ出す
この社会で
自分の居場所は
あるのかと
不安はまさに
実現という
これ以上無い証明で
必ず果たされるだろう
おお、偉大なる
南無妙法蓮華経よ
苦しみ悩む
全ての人に
安んずる道を
苦悩多き君よ

汝こそ
幸せの大地より
踊り出た
真正の地涌《じゆ》の菩薩たらんか

## 影

暗黒の闇より
法を説く
一切衆生を見る
我は汝の影
闇より生まれ
闇に住まい
光の汝と
常に共にある
我は汝の影
日蓮正宗の大老よ

不滅なれ
汝なくして
我は存在しない

逆縁
全宇宙の大罪人の
集まりし
この日本国に
根源の一法は
放たれた
法のみあれど
広まらず
無間《むけん》の地獄を経て
我が弟子となる
万年の歳月に
南無妙法蓮華経は

変わらず
受持する者
受難の
尊き勝利へと
我々を導かん
離れるは険難《けんなん》の道
着くは留難《るなん》無き道

一切衆生を幸せに
人は
変われる
国も
変われる
世界でさえ
変われる
一切衆生を救う

自然に
そう思う
一切衆生を
幸せにするのが
私の願いであり
夢なのだ

難を受けたら
その者達の事を
未来において
あなたの弟子となる
逆縁の者だと
思いなさい
難を加える者が
あなたの業を
持っていってくれているのだ

難来たりなば
賢者は喜び愚者は退く
難来たるを以て安楽と心得べし
とはこれである
反対に味方になってくれる者は
順縁《じゅんえん》の弟子だと思いなさい
師弟の遠近は
境智冥合《きょうちみょうごう》の浅深に
よるのである
日蓮正宗の
御僧侶による
導きが正しい

**日蓮正宗**
ただの
非暴力不服従運動は

必ず失敗する
力強き
根本の法である
日蓮仏法に基づかなくては
理想は理想のままで
現実に
打ち負かされる
南無妙法蓮華経は
理想を現実に変える事の出来る
偉大なる
根本法である
日蓮正宗こそ
その本体である
一切衆生にとって
一番大変な魔は
元品《がんぽん》の無明《むみょう》である

これを打ち破ることが出来るのは
御本尊しか無い
妙《みょう》とは蘇生の義、開く義、円満の義がある
これを妙の三徳という
日夜朝暮《にちやちょうぼ》に
怠らず
南無妙法蓮華経と
唱える事でしか
解決はしないのである
それには
日々、日蓮正宗の
勤行《ごんぎょう》、唱題《しょうだい》、折伏《しゃくぶく》に
勤《いそ》しむ事だ

御本尊とは何か
生命の実相

大宇宙の法則
因果の理法
無始以来
あらゆる存在を
常々幸福に導いて来た
真・善・美の究極である
因みに美・利・善とは
学会員の事もある
真・善・美の究極が
日蓮正宗の御本尊である

法身は
仏の悟りそのもの
報身は
智恵
応身は

衆生を教化する姿
そして三身は一身である
一切衆生が
久遠元初からの
本来の仏であると
悟るのが
仏の悟りであり
慈悲である

## 川端《かわばた》時定《ときさだ》弥四郎《やしろう》 聖《ひじり》国重《くにしげ》の悟達《ごたつ》とは

宇宙が御本尊であり
私と一体となり
大聖人様が居られ
大聖人様と私が
一体に成るという
悟りである

だが、たとえどんな悟りがあったとしても、法脈は流さなければならず、日蓮正宗という血脈に従って仏道修行はしなくてはいけない。

創価学会初代会長、牧口常三郎先生は経験から出発せよ、と指導した。
これから述べる私の経験は、語る事によって同我《どうが》の後哲《こうてつ》の参考に成ればとの思いで、恥を忍んで語るものである。

一切衆生を救う、という意志で二転三転してゆくが、その経験を皆の参考にして頂ければ幸いである。

**先ず誓願した**
私は
一切衆生を
救うという
祈りをする
この一生は

そうして
終わるのだ

そして業を背負った
一切衆生を救うなどとは
祈りたくない
祈るものでもない
一切衆生を救う為に祈れば
キツくてキツくて
仕方なくなる
一切衆生の苦しみを
我が苦しみとしたのは
日蓮大聖人様であって
私ではない
私は自分の事を
しっかりすれば

それで良いのだ
自分の幸せを考えよう

そして思った
変な祈りをしたから
駄目だったんだ
自分の幸せを追わなくちゃ
自分が幸せに成る事が
大事なんだ
信心をして
願いや夢を叶えて
こんなに幸せに成りました
というのが信心なんだ
それが
広宣流布《こうせんるふ》だ

そして一旦はあきらめた
一切衆生の
業は
一切衆生に
お返しする
各自
自分の信心を以て
幸福に成れば良い
幸せは
自分の手で
つかみ取るものだ

そして気が付いた
私には
一切衆生を救うという
欲がある

考えてみれば
これ程大きい欲は
無い訳で
大欲《たいよく》である
しかし仏法では
煩悩即菩提《ぼんのうそくぼだい》と
説くのだから
大きな欲は
大きな実りとして
私に返って来るだろう
これも
南無妙法蓮華経の力による

そして決意した
私は
戦いを

開始した
最早
後には
戻れない
あてに出来る者など
一人もいない
我一人立てり
一切衆生を
救う
戦いだ
日蓮正宗の方々と共に

そして悟った
一切衆生を救う
という祈りを
自分の欲としてやったが

何か違う
幸せでは無い
やはり間違った思想や哲学を
正す事が無かったら
世界は平和には成らない
故に
救うのではなく
度するという表現が正しい
結局のところ
一切衆生といっても
一人一人が
この南無妙法蓮華経を持ち
修行する事でしか救われないのだから
この法を広めゆく事でしか
平和は無いのだ
という結論に至った

そして大聖人様に
指南を仰ぐと

我
日本国の柱とならむ
我
日本国の眼目とならむ
我
日本国の大船《たいせん》とならむ
等とちかひし願
破るべからずと
これは私のみならず
三世永遠に
一切衆生の志とすべき御文《ごもん》なのだ
世界の日蓮正宗信徒様と共に進む。

社会で
いくら成功しても
折伏を行じない者は
夢の中の栄え
まぼろしの楽しみである
只我も人も
共に南無妙法蓮華経と
唱える事が
本当の幸せである

真実一切衆生
色心《しきしん》の留難を
止むる秘術は唯
南無妙法蓮華経なり

全ての非を防ぎ

全ての悪を止むる
それが
南無妙法蓮華経
である。

題目に
不可能は
無い
不可能は
人の心が
造る

悩みがある事が
不幸なのでは無い
悩みに負ける事が
不幸なのだ

一切衆生は
南無妙法蓮華経という
仏である

とはいえ
理観《りかん》を尊ぶのでは無く
経文《きょうもん》に依るべきなのは
当然の事である
日蓮大聖人様の御書《ごしょ》
最も偉大にして
最高の哲理である
あえて言うなら
法華経を読むが良い

結局

世界平和や一切衆生の幸福を
祈り動いたとしても
それは最終的には
自分自身の為である
志のある者は
自分の志を知っており
気高く生きようとする者は
自らの気高さを知っているものである
因果応報という
思い、言葉、行動が
全て自分に還るのである
何ものもこの法則からは
逃れられない
この因果の法則こそが
南無妙法蓮華経なのである
それを行じているのは

日蓮正宗である

南無妙法蓮華経を持すれば
あらゆる人が
その各人の本然に従い
美利善《びりぜん》の生活へと
導かれゆくのである
末法《まっぽう》、濁悪《じょくあく》の世であるので
大難《だいなん》は覚悟しなくてはいけないが
私達は
久遠の昔より
大聖人様に広宣流布を誓い
戦い続けて来た仏なのである
負ける筈の無い戦いである
私が先ず勝つ

折伏は
相手の
仏界を
引き出す
作業だ

一人立つ精神?
水魚《すいぎょ》だ。
異体同心が正しい。

学会に
仕えようと思ったら
境智冥合しなくなり
祈れなくなり
果ては
精神病の持病まで

出かかった
こんな事は
書きたくないが
私の使命は
学会には無いのだろう
日蓮正宗に身を投じる

勝利の
秘訣は
題目に
あり

非暴力の不服従運動の
根本的に大事な事は
祈りである
私は

南無妙法蓮華経だ
あらゆる存在に
仏性が宿るという
法華経の精神は
常に私をリードして
止まない

ここ迄が、祈ってみた自分の体験であった

私の
言葉は
全て
これから
である

信頼は

自ら
築くものである
何を言われようと
何をされようと
たとえ
周りが
敵ばかりであっても
黙々と
平和や
皆の幸せの為に
祈り働く中で
自分から
勝ち得てゆく
ものである

私の言葉は

南無妙法蓮華経
これに
尽きる

周りに
魔が
入っている
その後は
権力者の身に
魔が入り
私を悩ますだろう
私が
戦うべき相手は
第六天魔王なのだ
戦わずして勝つは

最善の道という
戦いは
単に戦えば良いと
言うものでは無い
何が
平和の為なのか
何が
一切衆生の
幸福の為なのか
先ずは日蓮正宗の祈りをする事だ
自分自身の夢を
叶える事だ
自分が現実に
力を持つ事で
一切衆生の
幸福を

死んでからも尚
持ち続けるならば
それが仏の
境涯である

南無妙法蓮華経
という
仏の戦いを
起こすならば
力があれば
ある程
人々の反感を買い
うとまれ貶《けな》されるであろう
暴力に訴えられたり
死をともなう程の
難に逢うだろう

故に
私は
力ある者だという
実感を
得るのである
仏の戦いは
命を仏法に
捨てる位の
覚悟が
必要で
ある
慈悲と勇気という
問題は
御書を通して
答えれば
つくろわず働かせず

ありのまま
自然のあなたで
良いという
事になる
その代わり
根本の
南無妙法蓮華経は
一切衆生の
糧《かて》であり眼目であり
大船なのである
要するに
一切衆生とは
南無妙法蓮華経の
全体なのである
具体的には
日蓮正宗の信心だ

汝自身に生きよ
という
まさにその通りだ
他人に
求めてはならない
自分自身が
今やるべき事を
淡々と
こなしてゆく
随自意《ずいじい》の
信心である

右のほおを打たれれば
左のほほを差し出せと
いうが

ほほを叩かれれば
本能的に身構えるのが
生命である
汝の敵を愛せという精神を
貫いたキリストもガンジーも
最期には殺された
大聖人様は
殺されても死なないのである

南無妙法蓮華経
及び
南無妙法蓮華経を
持つ者を
悪口罵詈《あっくめり》する者を
そのままにして置く者は
仏法の敵である

長い間、仏法及び諸宗との
関係を
ガンジーやマザーテレサ等に較べて
思索して来たが
南無妙法蓮華経の
一善にはしかず
との結論に至った
立正安国の精神は
この世の不幸の原因が
間違った教え、思想、宗教に
あると喝破《かっぱ》され
正しき三大秘法の
南無妙法蓮華経に帰せよ

周りの過《あやま》りも
正して行けよ

という精神が
正しいのである
私は
日蓮正宗に帰依し
世界に
広宣流布する

もし
悩乱《のうらん》する者は
頭が
七分に割れ
もし供養する者は
福が
十号に過ぎる

愚者に誉められるのは

聖賢の恥辱《ちじょく》である
愚者に乏《けな》されるのは
聖賢の誉れである

真の法華経の行者には
三類の強敵が
必ず現れる
これ等が現れなければ
法華経の行者とは
言えない
私は今
俗衆増上慢《ぞくしゅぞうじょうまん》
道門《どうもん》増上慢
僭聖《せんしょう》増上慢迄
進んだ

話しても怒っても
ラチが明かないので
無視よりは
悩乱せし者だと
思う様にしている
話す必要も無い
我が心の静寂と
我が仕事が
捗《はかど》る様に
耳を貸さないのだ

悪は
結託する
勝敗は
明らかだ
諸悪は

多けれども
一善には
勝てない
最後には
分裂して
仲間割れして
責任のなすり合いを
するのだ

日蓮正宗の信心をし
自分自身の
境智冥合に
生きたら
指導が
すんなり
身に入る様に

成った

法華経の行者を
うとみ、あなどり
馬鹿にし、批判する者は
その身に無間の
悪業の因を積む

結局
皆といようが
一人でいようが
味方といようが
敵といようが
南無妙法蓮華経を
護持する事が
大事なのは

変わりが無い

その法体を持つのが
日蓮正宗である
日蓮正宗と
創価学会は
永遠に
仲良くなければ
成らぬ
僧俗一致
でなければ
広宣流布の
形では無い

私は時空を超えて
一切衆生と歩む

五逆罪《ごぎゃくざい》、十四誹謗《じゅうしひぼう》
悩乱せし者等も
自らの罪により
不幸を感じざるを得ないが
いずれは妙覚《みょうかく》の悟りを得
日蓮正宗の陣列に
参戦するのだ。
末法の
法華経の行者を悩ます者是あり
名を三類の強敵と言う
三類の強敵現れずんば
まさに知るべし　その者は
法華経の行者にあらず
是を現すを
法華経の行者と言う

一切衆生と進むのが
大事である
石は多く宝石はまれである
しかも悪は結託する
しかし一流の人は
分かっている
見ている人は
しっかり見ているのである
自信を持って
自分らしく。
一切衆生を幸せにする事を
祈り進む事だ
悪、悩乱せし者は
正しき信心に着ける様
我が胸の裡《うち》で
祈るのみである

一人立つ精神で
皆と呼吸を
合わせて
進む事だ
日蓮正宗の道を

仕事は
境智冥合する所の
遊びである

題目は
胸中の境智冥合
とともに
唱えるのが
正しい
日蓮正宗の

御本尊を対境《たいきょう》に祈り
境智冥合するべきだ

終わらない冬は無い
冬来たりなば
春遠からじ

生活の全ては、信心により受けとめねばならない。

また、身の廻りの人に身も心も同化せずとも慈悲心の大きな人間になる事は出来る。

所詮、あらゆる人間の全ての違い一つ一つに合わせる事は出来ない。

そうした中で、自らのスタイル、ファッション、言葉、思い、行動等のアイデンティティは、どこに求めるべきであろうか。

それは、あらゆる存在を救う、という意志である。

それは、どこまでも広がりゆく自他共の信心。どこまでも深まりゆく自他共の信心である。

具体的には、何を求めるべきであろうか。日蓮大聖人の仏法を、どの様に行じてゆくべきであろうか。全ての仏が誓うという、四弘誓願《しぐせいがん》に明らかである。
一、衆生無辺誓願度《しゅじょうむへんせいがんど》
二、煩悩無量誓願断《ぼんのうむりょうせいがんだん》
三、法門無尽誓願知《ほうもんむじんせいがんち》
四、仏道無上誓願成《ぶつどうむじょうせいがんじょう》
である。
　一言で言うならば南無妙法蓮華経である。

私は
どこまでも
深く
祈りゆく中で
一つの
境智に
達した
この世の全ても

あらゆる存在も
御本尊であり
自分自身が
日蓮正宗の祈りを主体的に
行じる事により
一切は
大善へと
転化してゆくのである
無智や邪智から
来る
誹謗中傷は
善なる者の
受ける
宿命である
大御本尊に
帰依し抜く中で

一切の物事は
自分という個性を
持ちながら
動いてゆくので
ある

不思議な
夢だった
池田氏が
夢に現れ
「大自在天王仏《だいじざいてんのうぶつ》は
天からの贈り物だねえ」
と語ったのである。
私はこれを
池田氏より
頂いた

記別《きべつ》だと思っている。

世界の平和と
一切衆生の幸福を
常時
祈れる様に成った
それは
私の体験した
境智冥合の深さに
由来する
私は
非暴力において
日蓮正宗の南無妙法蓮華経を
心魂に染めて
社会の
総体革命を行うのだ

南無妙法蓮華経は
生命の起源であり
魂の本質である

結局
一切衆生の幸福と
世界の平和というのは
祈りの深さに
由来する
御本尊と
境智冥合し
自然のままで
あるがままで良いのだ
これを
無作三身《むささんじん》と

言う

私の心の中で
全ての敵は
居なくなった。
だけど
向こうは
そうは
思わないんだよなあ

御本尊に
祈るという事は
それ自体
世界平和であり
一切衆生の幸福
なのである。

難こそ誉れ
これが、私の残す
後世へのメッセージである。

日蓮を用いても
悪しく敬えば
国亡ぶ。
一切衆生の幸福と
世界平和は
あらゆる人が
願わなくてはならない
宿願である
十四誹謗も
絶対に
あってはならない。

ニセ本尊で
あってはならない。

少し前の話しである。

私が、主師親《しゅししん》の三徳を皆持つ様話したら。

内外から批判が相次いだ。

凡そあらゆる人から非難を受けたので、私は私以外の人に、その話しを振れなくなった。

この書を読んだ諸君は、同我の後哲であって頂きたいと、願うばかりである。

これからの私の所業は、人間の幸福、人類の平和、世界の平和ひいては宇宙の調和、と成る様努める。


以下の節は、拙書『クレイス伝』から、本編を削除し、一番言いたかった前書き部分に、加筆修正したものである。より深く考察し、川端国重の思想の集大成とも呼べる節となっている。

## 如説修行抄

「法華折伏《ほっけしゃくぶく》、破権門理《はごんもんり》の金言なれば、終に権教権門《ごんぎょうごんもん》の輩を一人もなく、せめをとして法王の家人となし天下万民・諸乗《しょじょう》一仏乗と成って妙法独り繁昌せん時、万民一同に南無妙法蓮華経と唱へ奉らば吹く風枝《かぜえだ》をならさず雨壌《あめつちくれ》を砕かず、代は義農《ぎのう》の世となりて今生には不祥の災難を払ひ長生の術を得、人法共に不老不死の理顕れん時を各各御覧《ごろう》ぜよ現世安穏《げんせあんのん》の証文疑ひ有る可からざる者なり」（如説修行抄より）

## 共生

現在は、資本主義の世の中である。しかるに、行き過ぎた経済優先の政策が、地球の砂漠化を招き、熱帯雨林の消滅、環境破壊、気候の変化等、地球規模での危機に瀕している。現代の文明は、徐々に自然との共生をもとにした農業的文化へと移らざるを得ないだろう。徐々にではあるが。

自給自足的な各国の国民生活があればこそ、資本主義による貿易も、意味をなすのではあるまいか。それによらなければ、今の経済優先の馬鹿馬鹿しい地球破壊の危機から脱することはできないと信ずるものである。

また、正しき仏法の広まりとともに、昔のシルクロードで見られたような、平和的文化の大興隆も起こり、新しき地球文明大興隆の世の中が来るであろう。民も幸せに暮らし、平和的世界の建設に向けて科学技術も含め、万民が協力し合うのである。その為の広宣流布である。

## 平和と個人の幸福

農に関する技術的な問題、意義についての精神的な涵養、また現実的な経済問題等、様々な困難はあるが、だからこそ義農の世なのである。

地球の一体化が叫ばれて久しい。あらゆる国から軍備が消え、日蓮正宗という平和、文化、教育の内的充実を図り、世界平和が実現するのを祈りたい。祈りこそは遠き道のりのように見えて、実は最も確かな道である。

もちろん、世界平和の実現には絶えざる努力が必要だし、そうした世においても個人的に悩みが消えるということはあり得ない。実際には様々な悩みが襲ってくるだろう。仏法は、あらゆる悩みを解決する根本法である。

## 美利善

先哲は、この世から悲惨の二字をなくしたい、とおっしゃった。一切衆生に、等しく仏性を観る仏法は、あらゆる人のあらゆる悩みを解決できる方途を示した。病人を病気の苦しみから救う。貧乏人を貧乏の苦しみから救う。現実に苦しみから救う力がなければ、宗教は無意味だ。ゆえに利が価値なのである。

西洋では真善美が価値とされる。理解されにくいと思うが、美利善の利とは、先哲がおっしゃるように、苦しみの解決という意味である。現実の苦しみを何とするか、ということなのである。

大聖人様は、「とくとく利生《りしょう》をさづけ給へと強盛《ごうじょう》に申すならば、いかでか祈りのかなはざるべき」と申され、池田氏は「最高の善、最高の美、最高の利を得ることができる信心です」とおっしゃった。

人間には、永遠の生命がある。あらゆる苦しみも、人間を理解するためには、あるいは、必要であろう。苦労多き人生は、よく鍛えられた名刀のように折れない。よく鍛えられているゆえである。

## 四箇《しか》の格言

ここで川端国重は正しい祈りが、南無妙法蓮華経しか無い事を、強調しておきたい。

宗祖日蓮大聖人様は、念仏無間《ねんぶつむけん》、禅天魔《ぜんてんま》、真言亡国《しんごんぼうこく》、律国賊《りつこくぞく》、と喝破された。これを四箇の格言と言う。

これは現代的に敷衍《ふえん》して言えば、念仏とは、いつかどこかで幸せを得ようとする全ての宗教。禅とは瞑想等、頭で考える全ての宗教。真言とは、呪術的なものや秘術を弄《もてあそ》ぶ全ての宗教。律とは、戒律による全ての宗教、を意味する。現在、この世界にある宗教は、全てこの四つに当てはまるか、これらを複合したものである。次に、なぜこれらが悪いのかを説いてゆく。

念仏について言えば、幸せはいつかどこかにあるのでは無い。今、ここにあるのだ。幸・不幸といい、天国・地獄といっても死後等ではなく、今ここで生きている自分自身にある。厭世《えんせい》的になる必要も無い。力強く、今を生き抜くのである。

禅は、頭で色々考える。思考の迷路に落ち込み、仏果を得る事は出来ない。独りよがりで終わるのである。

真言は、秘術的なものであるが、決して良くは働かない。宇宙中の仏神は、法華経の行者を護ると、虚空会《こくうえ》の儀式で誓った。この法華経の行者の祈りこそ、南無妙法蓮華経である。他の祈りでは、仏神に護られるどころか、魔に食われるだろう。

律は、生命の論理から言って、不可能である。川端国重は、少欲知足《しょうよくちそく》を旨とするが、無理な戒律を守る事は、人間生命には基づかない、只の自虐である。幸福とは関係無い。

そして、最近ブームのお守りや占いであるが、当たるものもあれば、当たらないものもあろう。しかしそれら自体が、他に原因を求めるもので、もはや宗教と呼べない。外道《げどう》の領域である。

## 究極の真理

真の宗教は、自分自身にすべて原因を求める。自分自身が大宇宙と一体である、と説く。解決しない悩みは、無いのである。法華経の精神はあらゆる人間にこの仏性があるのを認め、久遠の過去から仲間である、と説くのである。

故に川端国重は、あらゆる人間が南無妙法蓮華経に帰せ、と説くのである。宇宙の究極の真理の法則が、二つも三つも無い道理である。苦悩も喜びも、人それぞれである。川端国重は、幼き日より哲学的な真理を求めて生きてきた。この信心のお陰で、悩みは解決した。頭で考えるのではなく、信じ行じてゆく中でしか、それぞれの確信は得られないであろう。

皆の求道《きゅうどう》の精神を、願うばかりである。とともに、川端国重もますますの求道心で世の平和、人々の幸福の為に生き抜きたい。

こうした事を書けば、批判や無視が大半の反応である事は、分かっている。

## 一極に帰せ

迫害を受ける覚悟は出来ている。言わずば、三世十方の諸仏から怠惰の咎《とが》を責められるのであるから、仕方なく言う。

今は、色々な宗教が、世界中で雨後の筍《たけのこ》のように出来て来た。しかし、浅きを去り深きに就くは丈夫の心である。

だからこそ、この究極の一法に皆が浴さん事を願うのである。世界が平和でない究極の原因は、信仰の間違いにあることを、宗祖日蓮大聖人様は、立正安国論に説いた。正を立て国を安んじる、と読む。時代がいかに変わろうと、人間の苦しみ悲しみは、不変である。生命と宇宙を完全に解き明かした仏法に、我々は浴そう。

皆の大成を祈る。そして、必ず勝利しよう。

自分自身に勝つのだ。必ず出来る。身口意《しんくい》の三業《さんごう》が、法身《ほっしん》・般若・解脱の三徳を開く仏法であるからだ。効かない祈りを捨て、妙法の一極に帰せ、と川端国重は訴えるのである。

日蓮正宗しか正しい宗教は無く、創価学会は受持《じゅじ》の俗の人材である。

和合僧《わごうそう》、僧俗一致こそがあるべき姿である。

人は誰しも自らの王である。

古来法華経は経の王とされている。この法華経の精髄が南無妙法蓮華経である。

人は誰しも成りたい自分、がある。その夢を叶えつつ、全人類の幸福と世界の平和、宇宙の調和を目指しゆく。

偉大な人間とは、出来上がったものに乗っからず、常に深みを目指しゆくものだ。

未来における日蓮正宗、創価学会の信心こそ、人を救い世を救う道である。

蔵《くら》の財《たから》＝利

身《み》の財＝美

心《こころ》の財＝善

大聖人様はただ心こそ大切なれ、とされた。

学会は美利善を価値とした上で、大善《だいぜん》生活を説く。大善生活とは、一言で言えば、日蓮正宗の信心である。

学会は日蓮正宗の信徒団体である。俗は豊かに成って僧を供養するのが、正しい。広宣流布目指し僧俗一致、和合僧が必要なのである。

# 第２章　日蓮正宗の法義

## 三重秘伝抄《さんじゅうひでんしょう》　第一……権実《ごんじつ》・本迹《ほんじゃく》・種脱《しゅだつ》の三相対にして、この三重の妙旨は、日興《にっこう》・日目《にちもく》嫡流にのみ伝わる所で、他門の日蓮各宗の知る所でないから秘伝と言う

正徳《しょうとく》第三　癸巳《みずのとみ》、私が四十九歳の秋の頃、時々御堂《みどう》で開目抄を講じた。しかし、文底秘《もんていひ》沈《ちん》の語に至ったのだが、その意義甚だ深く、その意味はものすごく難解である。ゆえに、文を三段に分けて、意義を十の門に開いた。草案はすでに終って清書が未だ出来ず、心虚しく胸中に収めたまま、之を表わす機会が無かった。そして後に、亨保《きょうほう》第十　乙巳《きのとみ》、私が六十一歳春の時、たまたまこれを読んでみるといいかげんな所が、やや多い。故に、大体添削《てんさく》を加えた。あえて草案を読んではならない。であるが、この三重秘伝抄の中には、多くの大事、宗門の一大事・仏家の肝心である法華本門寿量文底事の一念三千等、他宗他門の徒《やから》の窺《うかが》い知る事の出来ない深秘の一大事である。そのような事を示した。これはひとえに、仏法が永遠に尊重されてゆかんが為である。未来永遠に渡り、仏法を行じる者は、私の意を深く察してゆきなさい。

# 三重秘伝抄

日寛《にちかん》謹んで記す

開目抄上に言う「一念三千の法門は但《ただ》法華経の本門寿量品の文の底に秘し沈めたまえり、龍樹天親《りゅうじゅてんじん》は知って而《しか》も未だ弘《ひろ》めたまわず、但《ただ》、我が天台智者のみ此れを懐《いだ》けり」等、云々《うんぬん》。訪ねて聞く。方便品《ほうべんぼん》の十如実相《じゅうにょじっそう》仏の窮め尽くされた方便品の十如是の理法は、宇宙万法の実相であって、衆生の妄想とは大いに異なるもの。寿量品の三妙合論《さんみょうごうろん》、本因妙《ほんにんみょう》・本果妙《ほんがみょう》・本国土妙《ほんこくどみょう》の三妙を合せて寿量品の上に説かれたもの。ましてや一念三千・経文の上にしっかり書いて無いではないか。宗祖日蓮大聖人は、何で文底秘沈文の底に秘し沈めたと言うのか。

答えて言う。これはすなわち我が宗派の深く秘密にしている大事な事である。だから文は少ないにしても、その意義や意味は豊富である。もしこの文を明らかに知る時は、釈尊一代五十年の間に説かれた聖《ひい》でた教を、鏡に曇り無く観る様であり、三時の弘経《ぐきょう》（釈尊御入滅後、正法千年・像法千年・末法万年の間に、羅漢《らかん》・菩薩・論師《ろんし》・人師《にんし》、次第に出現して、機法相応の小大権実本迹《ほんじゃく》等の聖教を説いて衆生を救済なされた。）を手の平に転がす様に分かる様なものである。なので先の門内外の古き学者達にしても、未だにこれを判別しなかった。ましてや私の様な頑迷にして愚かな者が、（本師自らの卑下の御辞《おんじ》である。）どうしてこれを悟るであろうか。そうではあるのだが、今講義に臨んで、開目抄を披《ひら》いて文底秘沈の文を講ずるついでに、文を三段に分けて、意義を十の門に開いて、略しながら文の要旨を示すのである。

文を三段に分けるとは、すなわち標・釈・結（通途《つうず》の文釈の順序である。）である。意義を十の門に開くとは、第一に一念三千の法門は聞き難いことを示し、第二に文相の大旨《たいし》を示し、第三に一念三千の数量を示し、第四に一念に三千を具足する相貌《そうみょう》を示し、第五に権実相対して一念三千を明かす事を示し、第六に本迹相対して一念三千を明かす事を示し、第七に種脱相対して一念三千を明かす事を示し、第八に事理《じり》の一念三千を示し、第九に正像二千年に未だ弘《ひろ》めない理由を示し、第十に末法流布の大白法《だいびゃくほう》（大は小に対し白は黒に対する。）である事を示すのである。

**第一に一念三千の法門は聞き難い事を示す、とは**

経（方便品比丘偈《びくげ》にある。妙法の希有なる事を歎じている。）に言われている。「諸仏・

世に興出すること懸《はるか》に遠くして値い遇うこと難し、正使《たとい》世に出ずるとも是の法を説くこと復《また》難し、無量無数劫《むしゅこう》（インドで年期の絶大に長遠なる事に名づけ、劫が又小劫中劫大劫等と次第に数字が増上して又その上に無量又は無数等の多数を示す語が加えられてある。我が国の人の知り得る億とか兆とかの大数とはとんでも無い桁違いの想像にも及ばぬ大数である。）にも是の法を聞くこと亦《また》難し、能《よ》く是《こ》の法を聴く者、斯《こ》の人亦復《またまた》難し。譬《たと》えば優《う》曇華《どんげ》（これまた、インド人の理想とも言える物で、世界を統一する転輪聖王出現する時、その瑞兆《ずいちょう》として海中に開く広大なる華である。この統一大々王の出現が何億万年とも一定しない空想のようなものであるからこの華《はな》も従って極々希《まれ》に見ゆるものでそれと同じくこの妙法もまた、容易に従い難きものとしてある。）は一切愛楽《あいぎょう》し天人の希有《けう》にする所にして時々乃《ときどきいま》し一たび出ずるが如し、法を聞いて歓喜し讃めて乃《すなわ》ち一言をも発するに至る則《とき》は已《すで》に一切の三世の仏（過去に出て現在に出て未来に出ようとする十方世界のあらん限りの仏の事）を供養するに為りぬ」等云々。

まさに知りなさい。この中の法の字は、並《なら》びに一念三千である。

記の四の末（天台大師が法華経の文に句々を釈せられたのが文句《もんぐ》十巻である。それを又法孫の妙楽大師が解釈せられたのが疏記《じょき》十巻である。その疏記を略して記と言いそれが調巻の都合一巻を本と末との二巻に分けた。それで「記の四の末」ともいう事になる。）の終に述べる。「懸遠《けんえん》等とは若し此の劫に准ずれば六・四・二万（六万、四万、二万の略で、次下に委しく出て来る。）なり」文、劫章の意に従うに、住劫第九の減・人寿六万歳の時、拘留孫仏《くるそんぶつ》出《い》で、人寿四万歳の時、拘那含仏《くなごんぶつ》出で、人寿二万歳の時、迦葉仏《かしょうぶつ》出で、人寿百歳の時、釈迦如来出ずと云々《うんぬん》、是《こ》れ即《すなわ》ち人寿八万歳より一百年に人寿一歳を減じ、すなわち一千年に人寿十歳を減じ、そうであるからして六・四・二万等に至る。どうして懸遠で無い事があろうか。

たとえ世に出ないといっても、須扇多仏《しゅせんだぶつ》（大品般若経にある。生きる事半劫で受化の者が存在しないから、法を説かないで入滅なさった。）・多宝如来（大論には法を説かずと書いてある。天台大師はこれを解釈して全く法を説かないのではない、開三を得ても顕一を得ない、と言われた。顕実即一念三千であるから、今説かない、と書かれた。また天台は応身にして法を説かない須扇多《しゅせんだ》・多宝の様な仏は、これ雲潤《うんじゅん》を含まず、と言ってこの二仏の慈悲は雲とならず、雨とならず、衆生を利益する事なし、と判ぜられたのである。）の様な仏は、ついに一念三千を説かなかった。大通仏（化城喩品《けじょうゆほん》の中に「此の仏出世して諸梵王の請に応じて十二行の法輪を転じ更に十六王子の請を受け二万劫を過ぎて妙法蓮華経を説く」とある。妙法即一念三千であるから今、この様に書かれたのである。）の様な仏も二万劫の間、これを説かなかった。今、仏世尊でさえ、四十余年秘密にして説かなかった。どうしてこれが法を説くのも難しくないであろうか。即に仏が世に出て法を説く事は難しかったのである。どうして容易にこれを聞く事が出来るであろうか。たとえ仏の在《ざい》世《せ》に生まれるといっても舎衛《しゃえ》の三億（舎衛《しゃえ》国は全インドの中でも釈迦仏に因縁多い仏都であるのに、その中の三分の一は仏を見て仏の説法を聞いたが、三分の一は仏を見ただけで法を聞かない。三分の一は仏を見た事も法を聞いた事も無い。この様に、仏を見、法を聞く事の因縁は、難しい事である。）の様な者でさえ、見ず聞かなかったのである。ましてや、像末辺土《ぞうまつへんど》（像法末法は時を表わし、辺土は所を表わす。我が日本国は、一般仏教国の上から見れば粟散辺土《ぞくさんへんど》と言われ、粟粒の散った様なへんぴな小島である。時は像末の悪時、所はへんぴな小国・人の機根もまた不善であり、中国大国のインドですら、舎衛の三億である。どうやって、大善の妙法がこの国に栄えるであろうか、と言われている。）においては。

だから安楽行品《あんらくぎょうほん》に言うのである。「無量の国中に於て乃至名字をも聞くことを得べからず」等云々。どうして法を聞く事が難しくないであろうか。法を聞くのでさえそうである。ましてや信受するのは難しい。まさに知りなさい。良く聞く事は、信受の意味である。もし、信受しなかったら、何で良く聞くと言うであろうか。だから優曇華《うどんげ》に例えるのである。この花は、三千年に一度現れるのである。

であるから今、宗祖の大慈悲によって一念三千の法門を開き、もし良く歓喜して讃えて一言をも発する（今、末法の肝心から言えば、南無妙法蓮華経と唱え奉ることである。）時は、既に一切の三世（過去・現在・未来）の仏を供養する事になるのである。

**第二に文相の大旨（今は義の十門の第二に列っしても、正しく本抄の首に標出する一念三千云々の文義の解釈である。）を示すとは**

文に三段がある。初めに「一念三千の法門」とは標である。次に「但法華経」の下は釈である。三に龍樹の下は結である。

釈の文に、三意を含む。初めは権実《ごんじつ》相対・爾前《にぜん》四十余年の説を権教《ごんきょう》方便とし、法華八年の説を実教《じっきょう》真実とする宗祖の教判である。権実の名目は同じであっても、他宗の所判《しょはん》とは大きな違いがある。本迹種脱《ほんじゃくしゅだつ》の名目も他門の所見と、また別である。開目抄《かいもくしょう》の五重の相対及び本尊抄の五重三段等に通達して、本宗教判の別意を納得しなければ、あるいは名目が同じである辺の上から他宗他門の誤った義に陥《おちい》らないとも限らない。いわゆる「但法華経」の四字がこれである。これはすなわち、浅きに従い深きに至って次第にこれを判じる。たとえば、高きに登るのに必ず卑《ひく》きよりし、遠くに往《い》くのに必ず近きよりする様なものである、云々。

三に龍樹の下、結とはこれ、正像未《しょうぞういま》だ弘《ひろ》まらずを結っす、意は末法《まっぽう》に流布《るふ》するを顕すのである。また、二意がある。初めに正法未だ弘まらずを挙げ通じて三種を結っし、一念三千《いちねんさんぜん》における権実《ごんじつ》・本迹《ほんじゃく》・種脱《しゅだつ》の三種を順次に判じる事。上文の通りである。次に像法《ぞうほう》在懐天台大師の心中に抑え懐に在して、未だ広く世に弘めない事である。以上を挙げ、別して第三を結する像法に天台大師の己心中に沈め置かれた法は、すなわち種脱《しゅだつ》相対の上の一念三千の珠であるのである。

応《まさ》に知りなさい。但《ただ》法華経の但の字は、これ一字だけと言っても、意味は三段に冠するのである。要するに、一念三千の法門は一代諸経の中には、但法華経、法華経の中には、但本門寿量品、本門寿量品の中には、但文底秘沈であると云々《うんぬん》。だから三種の相対は文に在って分明なのである。

問う。権実・本迹は常に語り合うところである。第三の種脱相対の文の意味は、どうなのであろうか。

答える。これは即《すなわ》ち、宗祖日蓮大聖人の、出世の本懐である。これがもし明らかである法則と受け取れれば、諸文に迷わないのである。諸文とは通じては日蓮一宗の教義を述べた書物、別しては、宗祖日蓮大聖人の諸御書である。種脱相対の奥義に明らかになる時は、大綱の綱目を提《かか》げて整然である様に、諸御書の意味も脈絡が通り、権実本迹の法義も乱れず、あらゆる事が肝心の種脱に集中して、一見して少しも、迷う事が無い。だから、しばらく一文を引いてその綱要を示す。稟権抄《ほんごんしょう》三十一に言われている。「法華経と爾前経《にぜんきょう》を較べて勝劣浅深を判断するのに、当分跨節《とうぶんかせつ》一往再往と似ている。当分はそのままの意味で、跨節《かせつ》はそれより一関節を跨《また》げて、一重深い意味である。四句百非の安息無しの意とは自ずから異なり、下種は跨節の結論、根本である。その様な事に三種類ある。日蓮大聖人の法門は、第三の法門である。世間は、ほぼ夢の様に一、二を話しても、第三を話さない」等云々。

今、謹んで考えた事を言う。一には、爾前は当分・迹門は跨節《かせつ》である。これは権実相対であり、第一の法門である。二には、迹門は当分・本門は跨節である。これは本迹相対であり、第二の法門である。三には、脱益《だっちゃく》は当分であり、下種は跨節である。これは種脱相対であり、第三の法門である。これはすなわち、宗祖日蓮大聖人の、出世の本意である。だから、日蓮の法門と言うのである。今、一念三千の法門は、ただ文底秘沈という意味がここにある。学者、深く思いなさい、云々。

問う。当流の諸師、他門の学者（富士興門流を当流と言う。要山日辰《ようざんにっしん》流等では、第三教相即第三法門である。他門の致劣《ちれつ》門流は、ことごとく、それである。）皆第三の教相をもって、すなわち第三の法門と名づける。他門は全てそうであるのに、今、種脱相対をもって、名付けて第三の法門としている。この事は、前代にいまだ聞かない。もし、文として明らかで無ければ、誰がこれを信じるであろうか。

答える。第三の教相の様なものは、皆天台の法門であり、天台の玄文《げんぶん》第二に出て来るもの。在世の三種教相である。稟権出界抄《ほんごんしゅっかいしょう》に此の意が見える。別して「第三を話さない」の御文を、心ひそかに考えるべきである。

一、根性の融不融《ゆうふゆう》の相〈不融は爾前、融は法華〉方便譬喩《ひゆ》―迹門
二、化導《けどう》の始終不始終《しじゅうふしじゅう》の相〈不始終は爾前、始終は法華〉化城喩《けじょうゆ》―迹門
三、師弟の遠近不遠近の相〈不遠近は爾前迹門、遠近は法華本門〉寿量―本門
――在世

末法蓮祖日蓮大聖人の三種教相即第三法門とは

一、権実相対〈爾前当分、迹門跨節〉迹門
二、本迹相対〈迹門当分、本門跨節〉本門
三、種脱相対〈脱本当分、種本跨節〉種本
――末法

日蓮の法門では無い。まさに知りなさい。かの天台の第一第二は、通じて当流の第一に属している。かの第三の教相は、すなわち当流の第二に属しているのである。だから、かの三種の教相をもって、もし当流に望む時は、二種の教相と成るのである。妙楽は言う、「前の両意は迹門にあてはめ、後の一意は本門にあてはめる。」とは、これである。更に種脱相対一種を加えて、もって第三とするが故に、日蓮の法門と言うのである。今、文を明らかに引いて、もっとこの義を証明する。十法界抄に言う、「四重興廃」（十法界抄の御文で、爾前・迹門・本門・観化と、浅きに従い、深きに至る様に、前の法が廃したら、後の法が興り、次第に迷いを転じて悟りを開く、の様相である。）と云々。血脈抄に言う、「四重浅深」（本因妙法の玄義七面の第三であって、五重玄に分れて各々四重の浅深を列っしてある。）と云々。又言う、「下種三種の教相」（百六箇抄の種の三十二の本迹を指すか。三種にこだわって見ると、あまり明解では無い様であるが。次の本尊抄の此の種の御引文と合わせ考えれば、題目を主として展開すべき日寛上人の深義が秘められているであろう。）と云々。「彼は脱・此れは種なり」（彼とは釈尊、天台の此れとは、日蓮大聖人である。）等云々。秘しなさい、秘しなさい、云々。

## 第三に一念三千の数量を示すとは

まさに三千の数量を知ろうとすれば、しっかりと十界《じっかい》・三世間《さんせけん》・十如《じゅうにょ》の相を覚りなさい。十界は常の様なものである。八大地獄に各々十六の別の処がある。だから一百三十六通じて地獄と名付けるのである。餓鬼は正法念経に三十六種類を明かし、正理論に三種九種を明かしている。畜生は魚に六千四百種、鳥に四千五百種、獣に二千四百種・合わせて一万三千三百種を通して、畜生界と名付けるのである。修羅は身長八万四千由旬《ゆじゅん》、四大海の水も膝にすぎない、人は即ち四大州である。天はすなわち欲界の六天と色界の十八天と無色界の四天とである。二乗は身子、目連等の如くである。菩薩は本化・迹化の如くである。仏界は釈迦・多宝の如くである、云々。

三世間とは、五陰《おん》と衆生と国土である。五陰とは、色・受・想・行・識（色は色形で衆生の肉体及び草木国土等である。受は衆生が外界に在る物を我が身に受け入れる事。想は一度《たび》受け入れたものを、常に想って忘れない事。行はこの想いに依って起す所行である。識は、以上の事を内より起させる意識・即ちこころである。）である。言う所の陰とは、正《まさ》しく九界に約して善法を覆《おお》い陰《かく》れさすゆえに、陰《いん》と名付けるのである。これは因に基づいて名を得る。又、陰はこれ積み重ねるものであり、生死を重ね重ねする。ゆえに陰と名付ける。これは因果の果に基づいて名を得たのである。もし、仏界に約するとすれば、常楽を重ねに重ねて、慈悲を覆い隠《かく》すゆえである。九界に約している。

次に衆生世間とは十界通じて衆生と名付けるのである。五陰が仮《かり》に和合するのを名付けて、衆生と言うのである。仏界はこれ尊極《そんごく》の衆生である。ゆえに大論に言う、「衆生が無上であるは、仏が是《これ》である」と。どうして下らない者と同じで無い事があろうか。地獄・餓鬼等の十種の生類が共に生じ、共に滅する辺りを言っている。

三に国土世間とは、即《すなわ》ち十界の居る所である。地獄は赤鉄に依って住み、餓鬼は世界の下・五百由旬に住み、畜生は水陸空に住み、修羅は海の畔《ほとり》・海の底に住み、人は大地に依って住み、天は宮殿に依って住み、二乗は方便土（欲・色・無色の三界の外にある世界で、修行の因によって証得する悟りの果である阿羅漢のみ住する所である。）に依って住み、菩薩は実報土（方便土の如く三界の外で、菩薩行道の果報に依って住する黄金世界である。）に依って住み、仏は寂光土《じゃっこうど》（前の方便実報両土の如く限られた界外《かいげ》の事土でなく、界内《かいだい》界外・浄土・穢土《えど》を問わず、事理不二で自受用報身仏の大功徳で清浄なる楽土と変じるのを言うのである。）に住み奉つるのである。並びに世間とは即ち是れ差別の義である。いわゆる十種の五陰不同であるがゆえに、五陰世間と名づけ、十種の衆生不同であるがゆえに、衆生世間と名づけ、十種の居る所不同である外故に国土世間と名付けるのである。

十如是《じゅうにょぜ》（如は空の義・真の義、是は仮の義・事の義、如是と合字すれば中の義に成り、空仮中《くうけちゅう》の三諦《さんたい》を成ずるので、相性体等の十如是は即ち空仮中道の実相である。）とは、相（外にあって見るべきもの、即ち皮相である。）性（内に在って見れないもの、即ち性分である。）体（外の相と内の性分を内外に具えて、一身を保っているもの。力作（力は原動力で、作は力のもたらした作用。（因縁因は主なる原因で、縁は、それを助ける縁で、主たるものとそれに伴うものの関係である。）果報（果とは必然の結果で、報は必然である功徳の報せや、罪の報いである。すなわち果報の関係には、前後する目に見えなく溶け込んだ現れの別がある。）等である。如是相とは例えば人が亡くなられた時に、黒色になるのは地獄の相であり、白色になるのは天上の相の様なものである。信化深き人は、薄紅を差した様な、寝ている相で亡くなるものである。その人の人生の総括が、死相に現れる。如是性とは十界の善悪の性であり、その内心に定まって後の世まで変わらない事を、性と言うのである。如是体とは、十界の身体、色質である。身体にも十界があるのである。考えてみれば至極もっともな事で、苦しい時もあれば、楽な時も、身体的にあるのである。如是力とは十界各々の自ら作《な》すべき所の功能をいう。功能というからには、あらゆる生命状態であれ、南無妙法蓮華経において、功能を成す事が出来るのである。如是作とは、身口意の三業を成し、善悪の所作を行う事である。力は原動力で、作は動力の現れたものである。善悪にわたって、宿因宿果がある。先の念は習因であり、後の念は習果である。これはすなわち悪念は悪起し、善念は善を越す。後に起すところの善悪の念は、前の善悪の念に寄る為に、前の念は習因すなわち如是因である。後の念は宿、果すなわち如是果である。善悪の業の有り様を潤す助縁《じょえん》は、如是縁である。因は主体たる自分に具わる原因で、縁は環境に準ずる助縁でなお生伴の関係と同じである。宿因宿果等の善悪の業の原因に酬《むく》い、当り前の善悪の報を受けるのが、如是報である。果は必然の結果で、報は必然の報酬である。即ち果報の関係とは、前後する場合もあるし、隠れての冥益《みょうやく》の場合や現れる顕益《けんやく》の場合もある。初めの相を本として、後の報を末として、この本来のその体が究極において中道実相であるのを本末究竟等というのである。九如の末の報が、即次の九如の始めの相となるから、十如の本来の連鎖となって循環究り無い点位が、この第十の本末究竟等である。

まさしく一念三千の数量を示すとは、まさに知りなさい。玄文両部の中には、並びに未だ一念三千の名目を明さず。ただ百界千如を明すのである。法華文句には十界の各々に十界を備え、又それに十如是を具えるから千如となる事だけを明している。法華玄義には一法界に九法界を具えれば百法界に千如是となる理を明してあるだけで、共に未だ三千の数には、説き及ぼしていない。摩訶止観の第五巻に至ってようやく一念三千を明すのである。これに二つの意味あいがある。一つは、如是に中心を置いて数量を示す百界・三百世間・三千如是である。もう一つは、世間に中心を置いて数量を示す、百界・千如是・三千世間である。開合の説き方が異なると言っても、同じく、一念三千である。三千如是は開であり、三百世間は合である。又、三千世間は開であり、千如是は合である。開は広がる意味、合は縮まる意味である。

## 第四に一念に三千を具する相貌（姿形）を示すとは

問うのである。摩訶止観の第五に言われている。「此《こ》の三千は一念の心に在り」等。ヒトオモイの心。即ち刹那微少の心で摩訶止観に始めて一念三千を明す文の中に在る。一念は微少である。何で三千を具せるのであろうか。

答える。凡そ、今経の意は具遍《ぐへん》を明かしている。すなわち、法界の全体は一念に具し、一念の全体は法界に遍《あまね》く在するのである。例えば、一微塵《みじん》に十方の分を具《そな》え、一滴の水が大海に遍く在る様なものである。

華厳経に言われている。（経の十八、如来林菩薩の説ける偈文《げもん》である。）「心は工《たくみ》なる画《え》師《し》の種々の五陰《ごおん》を造るが如く一切世界の中に法として造らざること無し。」等。

問うのだ。画師《えし》はただ一色を画《えが》く。（一色とは唯心という事で、青黄等の五正色《ごしょうじき》。その他種々の間色の中の一色ではない。）どうして四心、（未念・欲念・念・念已《ねんい》という精神作用に名付けたもの。即ち未念はまだ念わざる時。欲念は将に念わんとする時。念は念いつつある時。念已は念い終りたる時である）を画《えが》く事を得るのであろうか。

答える。色心共に画く（丹青《たんせい》をもって骨格容貌の色体はもとより、四心七情までの心状をも写すのを言う）為、種々の五陰を造ると言うのである。だから摩訶止観の第五・二十一に言う「善画（巧妙な画工の事）の像を写すのに真にせまり、骨法精霊（骨法は物体の色法、精霊はその心法である。それが絵画で無くて、真の生物の様に生き生きしているので、美人画に愛着し、幽霊画に恐怖する。ことに名画になると、竹にとまった雀が飛び去り、繋いだ馬が草を食べに行った、という作り話まで生じるのである。）の生気・飛動するが如し。」と。誰が鍾馗《しょうき》（鬼人の名を人名に取ったのであろう。後漢に李鍾馗《りしょうき》がいた。隋に喬《きょう》鍾馗・楊《よう》鍾馗、唐に張鍾馗という人がいた。明の皇帝が大鬼の小鬼を制するのを夢に見て、呉道子《ごどうし》に描かせた。更にこれを版画にして臣下に賜わった。これが鍾馗の図で、怒髪天に逆だち剣を提げて小鬼を叱咤する様子、真に恐るべきもの、これがここに言う鍾馗である。）を見て、喜んだと言うであろうか。誰が布袋《ほてい》（又、支那の僧で、頬が豊かで、眉は曲がり、大きな耳の笑顔にとても大きな腹、巨大なる布袋を肩にした有り様、小児も自分から暖かく従うべき様相である。）を見て怒ったと言うであろうか。弘《ぐ》の五の上（摩訶止観を解釈した妙楽大師の弘法輔《ふ》行法を略して弘と言い、その十巻を上下に分けた上巻の事である。）に心論を引いて言うには、「慈童女長者《じどうにょちょうじゃ》が伴《とも》を随え、海に入って宝を採《と》らんと欲っした。そして、母に近従《ちかよ》り去る事を求めた。母は言った。私にはあなたしか居ない。何で私を捨てて去るというのか、と。母は娘の去るのを恐れて、娘の足を抱いた。童女は手で母の髪を掴み、一房の髪が抜け落ちた。母を離れ去った。海州（大海の中の小さな島）に至って、熱鉄輪（焼けて赤くなった鉄丸）が空中よりその頭上に降輪したのを見た。そして、童女が誓いを発して言ったのには、願わくば、法界の苦（十方法界に満ちている一切の苦しみ）、皆我に集まれ、と。誓願力をもったが為、火輪（火の玉）は遂に落ちた。ここにおいて身を捨てて天に生れた。母に逢って髪を損ねるは地獄の心を成している。弘誓の願を発《おこ》すのは、仏界に属している。」一念の心中に既に地獄界と仏界を具えている。中間の十界互具《じっかいごぐ》は、それに従い推し量り知るべきである。（上に引いた慈童女の一念の中に、極悪の地獄界の心と、極善の仏界の心とを同時に具えているのだとすれば、中間の畜生界や人界等にも仏界の心を具えるのは無論の事である。仏界にもまた、畜生界や人界の心を備えて十界互具である事を、慈童女長者を例にして知るべきである、と言われている。）

観心本尊抄に言われている。「数々《しばしば》他面を見るに或る時は喜び或る時は瞋《いか》り或る時は平らか（喜怒哀楽等の情が、ひとえに際立って顕われていない）に或る時は貪《どん》（やたらに物を欲しがる）現れ、或る時は癡《おろか》（物の道理が少しも分からない）現れ、或る時は諂曲《てんごく》（修羅の性格の一面で、勝他の目的の為には己を曲げて他に諂《へつら》うことがある。）なり、瞋るは地獄・貪《むさ》ぼるは餓鬼・癡《おろか》は畜生・諂曲《てんごく》なるは修羅・喜ぶは天・平らかなるは人なり、乃至、世間の無常は眼前に有り豈《あに》人界に二乗界（声聞《しょうもん》界・縁覚《えんがく》界）無からんや、無顧《むこ》の悪人（後先を見ない無法者でも、我が眷属《けんぞく》を愛するのは、地獄界や修羅界の心中にも菩薩界の心が具わっている現証である）も猶《なお》妻子を慈愛す菩薩《ぼさつ》界の一分なり、乃至、末代に凡夫出生して（凡夫即極・即身成仏の理が実現することは、末法の大白法である久遠名字の妙法の有り難さでありながら。源は又、人界に仏界を具する為である。）法華経を信ずるは人界に仏界を具する故なり」、法華経を信ずる等の文、深くこれを思いなさい。

妙楽は言う、「仏界の心の強きを名づけて仏界として、悪業深重《あくごうじんじゅう》なのを名づけて地獄とする」、既に法華経を信じる心強きを名づけて仏界とする。だから知りなさい。法華経を謗《そし》る心が強いのを悪業深重と言って、地獄界も名づけるのである。

それで知りなさい。一念に三千を具足しているのは、明らかである、と。

## 第五に権実相対して一念三千を明すを示すとは

次の文（標の文である開目抄の一念三千云々の次の文）に言われている。「これらの経々に二つの失《とが》がある。（二乗不作仏と、始成正覚）一には、行布《ぎょうふ》（十界の因果をことに菩薩の四十一位を竪《たて》に行列布置し、少しも円融不次第の義無きものをいう。）を存在させている為、なお未だ権を聞いていないという。（三権即一実、二乗菩薩即仏という開会の義の無い事を言う。）迹門の一念三千を隠している。二には始成《しじょう》（釈迦仏は寂滅道場《じゃくめつどうじょう》・菩提樹下で正覚を成じ、始めて仏と成ったという爾前《にぜん》の諸経及び法華の迹門の説相）と言う為、尚《なお》未だ迹を発《はら》っていない（爾前《にぜん》迹門の諸経において、道場正覚の仏と言っている間は、垂迹《すいじゃく》示現の迹の低さが取れないという事）といって、本門の久遠《くおん》を隠している。迹門方便品（十如実相の略開三顕一より、五仏章（総諸仏章、過去仏章、未来仏章、現在仏章、釈迦仏章、の五つ。この五仏が必ず先に権教を説き、最後に実教の法華経を説き、三乗、声聞・縁覚・菩薩が仏である、という開三顕一を説いて、一仏乗に帰入させるという教化の儀式が同一である事）の広開三顕一等に即、一念三千の理があり、舎利弗《しゃりほつ》の正説が即ち二乗作仏である。）には、一念三千・二乗作仏を説いて爾前《にぜん》二種類の失《とが》の一つを脱《まぬが》れたのである」と。これらの経々とは四十余年の経々である。行布とは差別の異名である。昔の（爾前《にぜん》の諸経）経々には、十界の差別を存在させている為、未だ九界の権を開いていない。だから十界互具の義が、無い。なので迹門の一念三千を隠している、と言うのである。

問う。答えてくれ。迹門方便品は一念三千を説き、爾前二種類の失《とが》の一つを脱《まぬが》れたのである、と。何故、二乗作仏等と言うのであろうか。

答える。一念三千は所詮であり、二乗作仏は能詮である。（詮とは事理を能《よ》く説き明す義で、二乗作仏に依って一念三千の義を説明する事を得るから、二乗作仏の方は説明手の能詮であり、一念三千の方は被説明の法、所詮である。能は自動で、所は他動である。次の菩薩二乗の能具・所具もこれに準じて知る事ができる。）今、能所《のうじょ》（自動他動）を並びあげる為に、一念三千・二乗作仏等と言うのである。言うと、もし二乗作仏を明さない則《とき》は、菩薩・凡夫も仏に作《な》らない。これは、菩薩に二乗を具《そな》えれば、所具（受けるを具する、有する）の二乗が仏に作《な》らない則《とき》は、能具（説くを有する）菩薩がどうして作仏出来るであろうか。だから十法界抄に言う。「菩薩は二乗を具えている為、二乗が沈空尽滅（阿羅漢等の二乗が見思惑《けんじわく》を断じて空理に沈み、灰身滅智《けしんめっち》して身心都滅《とめつ》の無余涅槃《むよねはん》に入るを言う。）するのは、即菩薩の沈空尽滅（菩薩がその行程の始において塵沙惑《じんしゃわく》を起して空理に沈み、出仮利生《しゅつけりしょう》の念の無いものを言う。）である。」と。菩薩は既にそうで、凡夫も又その様である。だから九界も同じ様に作仏しないのである。なので、九界即仏界の義が無いので、一念三千も遂に顕わされる事を得ないのである。もし二乗作仏を明す則《とき》は、永《よう》不成仏（声聞・縁覚の二乗は、無余涅槃に入って身心都滅《とめつ》し、仏種を断じるので、未来永劫・成仏の機会なしと爾前の諸経に説かれてある。）の二乗さえ成仏する。菩薩凡夫は、言うまでも無い。だから、九界即仏界にして、十界互具・一念三千の義は、火のように明らかである。だから今、一念三千・二乗作仏と言うのである。宗印《そういん》の北峰《ほっぽう》に言う、「三千はこれ、不思議の妙境（一心より一切の法を次第に生じたのか、一心が一時に一切の法をもっているのか、どちらとも言えないが、唯この心が即一切法、一切法が即心で、その道理は意識《し》る事も出来ず語でも言えない誠に不思議な境界である、と宗印が三千の法を歎賞した文である。）である。この為、三千の法は一念に頓円（円融円満な即身成仏の教法）して法華独《ひと》り抄（不思議）である。」と。

質問する。昔の経々の中に一念三千を明かさないのであれば、天台は何で華厳心造《しんぞう》（前に引いた如来林菩薩の「心が一切法を造る」という偈文）の文を引いて、一念三千を証明するのであろうか。

答える。その経に、記小久成《きしょうくじょう》（記小は迹門諸品の二乗〈小〉作仏の授記で、久成は本門寿量品の久遠実成の顕本である。）を明かしていない。何で一念三千を明かすであろうか。

しかし、天台大師が引用した意は、浄覚（雪川《そうせん》の仁岳《にんがく》〔名〕宗の代の人。天台宗山外派の僧。山家派の四明知礼の門下で四明の為に山外派をことごとく論破した。しかし、後に退転し、山外派と成った。）は言う。「今の引用は会入の後に従う（華厳を開会して、法華経に入れての上に華厳経を引用すれば、これは法華が家の華厳であるから、爾前経《にぜんきょう》だからといって排斥するには及ばない、との浄覚の説）」と、言う。又、古徳は言う。「華厳は死の法門であり、法華は話の法門である」と。華厳の法門は、名だけ有って実が無い為、死の法門と言う。楽天は言う、「龍門原の上《ほとり》の土・骨を埋めて名を埋めず。」（唐の白居易でその白氏文集二十一にある。和漢朗詠集や太平記等に引用してある有名な詩である。遺文三十軸《いぶんさんじゅうじく》・軸軸金玉《こんぎょく》声・龍門原上土《りゅうもんげんじょうのつち》・埋骨不埋名）とある下の句を今引用してある。それは元宗簡の文集に楽天が題したのである。その墓が龍門の原〔洛陽の龍門で有名な石窟寺《せっくつじ》の附近〕の上あたりにあるから、骨はその処に埋めても、宗簡の文名は天下に埋れ朽ちずして永久に金玉の声ありと賞歎したのである。）と。和泉式部は言う。「諸共《もろとも》に苔《こけ》の下には朽ちずして埋もれぬ名を見るぞ悲しき」と。（この歌は和泉式部集の三にある〔金葉《きんよう》和歌集にもある〕が、詞書《ことばがき》に「内侍《ないじ》なくなりて次の年七月に例給わる衣に名のかかれたるを」とある。式部の女《むすめ》小式部内侍が亡くなり、その後にも仕え奉った上東門院彰子《じょうとうもんいんあきこ》〔一条帝の皇后〕より、年々給わる衣服に小式部内侍と書き付けられているのを見て、母の式部の詠んだ歌である。この漢和の二文の引例は、「死法門・活法門」と言うのに付いてである。骨は枯れ朽つると宗箇の文名と、小式部の名は残ると言う事を、充《あ》てられたのである。）

質問する。澄観《ちょうかん》（華厳経の中に法華経の一念三千を盗み入れた大悪人。多くの国の国王も帰依し、名声を欲しいままにした）の華厳抄の八十・三十三に言う。「その経の中に記小久成を明かしている」等と。

答える。従義《じゅうぎ》（天台宗の正統派、山家の僧。晩年、山家の批判をする山外派と成る。天台系なのは、変わらない。）の補註（天台三大部を釈したもの）の三・三十一に、之を破している。読みなさい。

質問する。真言宗は言う。大日経の中に一念三千を明かしている。だから義釈（天台系の一行禅師《いちぎょうぜんじ》が、善無畏《ぜんむい》三蔵の要請を受けて、大日経を共訳したもの。善無畏三蔵は、法華経の重義を真言に盗み入れた、と大聖人様から、厳しく弾呵《たんか》されている。）の一・四十一に言う。「世尊は既に広く心の実相を説いている。彼に諸法実相と言うのは、（法華経方便品の十如実相を指す。真言宗の側から法華を彼と言い、大日経を此の経と使い別けている）此の経の心の実相である」と。

答える。大日経の中に、記小久成を明かしていない。何で一念三千を明かしているであろうか。だからその経の心の実相は、ただ小乗偏真《しょうじょうへんしん》の実相である。（真俗二諦《しんぞくにたい》の中で、真諦《しんたい》の空理に傾いて立てた実相であるから、法華の即仮即空即中の三諦円融《さんたいえんゆう》の実相とは、小大権実・天地雲泥の相違である。）何で法華の諸法実相と同じであろうか。弘決の一の下五に言われている「大毘婆沙論《だいびばしゃろん》の中に、処々に皆実相と言う。この様な文々の名、皆大乗と同じである。これをもって、本当にしっかりと、義をもって判属しなくてはいけない。」と。（名は同じ実相ではあるが、意義の異なる分には、偏真・其有・但中・不但中等と区別して、義類同のものを其の一一に判属して大小混乱しない様にするべきであると言われた。）守護章の中の中十三（伝教大師の守護国界章《しゅごこっかいしょう》で、上中下の三巻が各上中下に調巻されている。又、法相宗等対破の書である。）に言われている「実相の名が有ると言っても、偏真の実相である。この為に名は同じでも義が異なるのである。」と。宗祖は言う（日蓮大聖人、観心本尊抄の御文である。）「爾前・迹門の円教ですら尚仏国にはならない。まして大日経等の諸小乗教等がなるであろうか。」と。だから大日経の中の心の実相は、小乗偏真の実相である、と知るのである。

質問する。真言宗は言っている。大日経に二乗作仏・久遠実成を明す、と。この為弘法大師が雑問答十七に言う、「質問する。この金剛等の中の那羅延力《ならえんりき》・大那羅延力・執《しゅう》金剛とは、その意《こころ》あるだろうか。答える。意の無い事は無い。その那羅延力は大勢力をもって、衆生を救う。次の大那羅延力は不共《ふぐう》の義である。（共・不共と対してなお、普通と特別の様に用いてある事は、共般若・不共般若と同例である。大那羅延・執金剛の力は普通の勢力では無い。一種特別の大大勢力がある、と言っている。あくまで弘法大師の説である。）言うなれば、一闡提人《いっせんだいにん》（語句の説明としては、因果は発する事は無いとして、過去・未来の有る事を信じなく聖仏を尊敬しなく、一寸先は闇などと非義非行をたくましくする徒であるから、必死の者として仏法の生命は無いものである。）は必死の病・二乗の定性（深密瑜伽《じんみつゆが》等の大乗経論に五性各別ということを説く。その中に定性というのは、他の教導の有無に関わらず決定して二乗と成る機類で、その証果の二乗は沈空尽滅して仏性を断滅しているから已死と言う。）は已死の人である。余教の救う所では無い。ただこの秘密神通の力のみが、良く病を救療する。不共力を顕す為に、大乗経をもって特別としてこれを分ける。」と。義釈の九・四十五に言われている「我一切本初等（大日経転字輪曼荼羅行品第八の文で、我の字中に阿声がある。阿字本不生の義に依って一切の依止と為して、寿量の義を作ったのであろう。義釈の文には、本抄所引の徳を歎ずという下に「此の法信じ難きを以ての故に将に法華を説かんとするとき又自ら歎ずるが如し」とあって、法華経と大日経とを同轍に見做《みな》して、本初即ち是れ寿量の義であるとしている。この様に法華の寿量と混同して、強いて理同の釈を作るのは、頭隠して尻隠さずの拙《つたな》さが、見える。）等とはまさに秘蔵を説こうとするのに、先ず自ら徳を歎じる。本初とは、即ちこれ寿量の義である。」と。

答える。弘法は、強調して列衆の中の大那羅延《ならえん》をもって二乗作仏を顕わす。実にこれは不便の引証である。その経の始末（大日経一部のいずれにも、という事である。）に全て二乗作仏の義は無い。もしあるというならば、まさしくその劫（時）・国・名号（経文）等は何であるか。ましてや又、法華経の中の彰灼《しょうしゃく》（火の様に明らかな法華経方便品以下に、舎利弗《しゃりほつ》・目連《もくれん》等の大羅漢を始めとして、学・無学の比丘・比丘尼の彰《あきら》かである授記作仏《じゅきさぶつ》を言う。）である二乗作仏を隠し埋没して、余教の救うところでは無いと言うのは、むしろ大謗法《だいほうぼう》ではないか。次に我一切本初とは、法身本有《ほっしんほんぬ》の理（ここでは、大日如来のことである。法身本有の寿量は、諸仏通同・又生仏一如である。大日経のみに限るであろうか。法華経は、一般の法身〔本質〕の顕本だけでは無くして、特に応身〔変化〕報身〔受けた身〕の実成顕本〔無始の始めからの成仏〕であるから、諸経に分絶えて無い法華経の諸経中王の位置付けである。）に約せる。何で法華経の久遠実成と同じと言えるであろうか。言える筈も無い。証真は言う「秘密経に我一切本初と言われているのは、本有の理の意味である。だから本初と言う」と。妙楽大師（真言教は唐の玄宗の時始めて支那に渡り、粛宗代宗の時まで盛んに行われた。その善無畏・金剛智等の渡来が、妙楽大師と同時代である。）の弘決輔行法の六の末六に言う「一切の法華経以前の諸経を読み解いても、事実の上で二乗作仏の文と如来久遠の寿量を明かしたものは、一切無い。」と。妙楽大師は唐の末・天宝年中の人である。だから真言教の一切を照覧している。なので真言教の中に記小久成は一切無い事を、知りなさい。何で一念三千を明すと言えるであろうか。しかもその宗の元祖は（善無畏三蔵は天台の法華経の一念三千・諸法実相の妙義を盗んで真言密経を飾り立て、一行禅師に大日経の義釈を作らせて法華経と真言経を同等にした罪悪の為、閻《えん》魔《ま》法王の責にあった。）法華経の宝珠《ほうじゅ》を盗み取って自分の家の財とした為、閻王《えんおう》の責めを蒙《こう》むったのである。宗祖は言う。（観心本尊抄の御文である）「一代経の中では法華経だけが一念三千の珠を抱いている。他の経の文理は珠に似ている黄色い石である。砂を搾っても油は無く、石女《うまずめ》（児を産む事の出来ない婦人である。）に子の無い様なものである。法華経以外の諸経は智者といえど仏にならない。法華経は愚かな人も仏の因を植えるのである。」と。

## 第六に本迹相対して一念三千を明すを示すとは

諸抄の中に（宗祖のである。初文は次下に引く開目抄で、次文は本第六門の終りに引く本尊抄の文である。）二文ある。一には迹本倶に一念三千と名づけ二には迹を百界千如と名づけ本を一念三千と名づく。初文を言えば次ぎ下に言う「そうであっても未だ発迹顕本《ほっしゃくけんぽん》（久遠五百塵点劫《ごひゃくじんてんごう》以来・世々番々に出世成道する仮装の垂迹仏たる今日出現の釈迦仏の当躰が即・久遠の本地本仏であると顕わすのを言うのである。）しないのであるから、真の一念三千も顕われない。二乗作仏も定まらない。言って見れば、水中の月を見る様なもので、根無し草の波の上に浮かんでいる様なものである。」と。文に法の譬えがある。法の中の一念三千は、言われるところの所詮である。二乗作仏は言うところの能詮である。譬えの中の水中の月は、真の一念三千が顕われないのに譬え、根無し草は二乗作仏が定まらないのに譬えているのである。法譬《ほっぴ》の四文（次上の文の中の一念三千と二乗作仏の法と、水中の月と根無し草との四文である）と本無今有《ほんむこんぬ》（本無とは久遠本地の本拠を有しないこと。今有とは本地の本拠なく但今日の垂迹のみあること）、及び有名無実という二つの失《とが》を挙げて、これを判断するのである。

問う。迹門の一念三千が、何故本無今有と言えるか？

答える。既に未だ発迹しない為に今有である。又、未だ顕本しない。どうして本無で無い事があろうか。仏界からして既にこうである。九界にしても、又そうである。だから十法界抄に言う「迹門には但《ただ》始覚（円教の菩薩は、行を起してより五十一位を進み、元品の無明を断尽《だんじん》して始めて覚行円満の妙覚の仏と成る事を言う。）の十界互具を説いて、未だ本覚（始成正覚の仏にあらず、無始本有の本地本仏、そのままを言う。）ここに久遠元初の名字即仏を立てるのは、当流別途の妙義である。法身虚通の通義に濫《みだ》され又は、凡夫素朴の膚《ふ》評に惑わされる事の無い様に祈る。」本有の十界互具を顕わさない。だから所化の大衆・能化の円仏は、皆悉く始覚である。もしそうであるならば、本無今有の失《とが》を何で脱《まぬが》れ得るであろうか。いや脱《まぬが》れ得ない。

質問する。迹門の一念三千を何で又有名無実と言うのか？

答える。既に真の一念三千も顕われないと言う。

失礼。執筆の途中であるが、法門は日蓮正宗に全て在ったので、筆を止むる。当創価学会が地涌の菩薩である事は、寸分も疑わず。日蓮正宗創価学会としての統一、設立に向って各自が粉骨砕身せねば成らぬ。

財の＝善 心　財の＝利 蔵　財の＝美 身

# 第3章　創価学会と日蓮正宗

何故、牧口が美より利をマシにしたか？　それは当時の時代背景に因る。当時日本は、軍国主義で国の為命を捨てる事が、美徳とされていた。それより、利が尊いのは当たり前である。ひるがえって現代は、美も利もゴッチャに成っている世相では無かろうか？

十界論の基本に戻ろう。地獄、餓鬼、畜生、修羅、人、天、声聞、縁覚、菩薩、仏。一言では言えないが、利＝餓鬼、美＝畜生と意味を取れよう。やはり戦時中よりは、社会が向上した事が伺える。牧口の真意である日蓮正宗の大善生活に依れば、餓鬼界は菩薩界、畜生界は縁覚界へと宿命転換出来る、という主旨である。ちなみに、私から言わせて貰えば、地獄界は仏界と成る。悩みが深ければ深い程、偉大な仏と成るのである。

大善生活がいかにして吾々《われわれ》如きものに百発百中の法則として実証されるに到ったか。それには、仏教の極意たる妙法の日蓮正宗大石寺にのみ正しく伝はる唯一の秘法があることを知らねばならぬ。

大善生活実証録、第四回総会報告

牧口 常三郎

どこまでも御開山上人《ごかいざん》の正しく御伝へ下された、日蓮正宗大石寺の御法義に従ひ奉《たてまつ》って「自行化他」の大善生活をなし、国家教育の革新に貢献《こうけん》したい。

大善生活実証録、第五回総会報告

牧口 常三郎

日蓮大聖人様から六百余年、法灯連綿と正しくつづいた宗教が日蓮正宗である（中略）この仏法こそ、私たちを真に幸福にみちびいてくれる宗教であることを、私たちは日夜身をもって体験しているのである。

戸田城聖全集三

戸田城聖

創価学会は日蓮正宗とは関係が無い、とは私にはどうしても思えぬ。法脈は日蓮正宗にあり、地涌の菩薩は創価学会と思う故だ。

悪というものは単独で悪とは成り得ず。関係性の上で成り立つ。我等が戦うは創価学会でも日蓮正宗でも無く、分断という悪、すなわち第六天魔王である。

日蓮正宗創価学会が正しい。その組織はまだ無い。断じて作らねば成らぬ。心配せずとも腹決めて祈れば、金と健康は向こうから飛び込んで来る。最後に親交のある一学会員に送った手紙を、そのまま記す。

**とある学会員様**

拝啓、川端国重です。以前の写真の作品は、捨ててしまって下さい。「春の宝石」本当は笑って写す積もりが、隣の顕正会の悪口罵詈で苦渋と成りました。ちなみにその顕正会員、夜に成ったら酒を飲み何事かをわめいておりました。春でした。

ところで先日、学会の墓に行って来ました。法が無くは無いのを感じましたが、空気がピリピリしていました。最初は私が来たからかと思いましたが、どうやら違う様です。

日蓮正宗に入り、色々と学びましたが、今感じている事を書きます。

私は日蓮正宗と創価学会が反目し合っているのを悲しく思います。日蓮正宗には血脈があり、創価学会は地涌の菩薩です。日蓮正宗は内用であり、創価学会は外用です。日蓮正宗は理論であり、創価学会は実践です。日蓮正宗は法体であり、創価学会は外護の団体です。恐らく皆様、素晴らしい指導を愛しておられるかと思いますが、指導は律、自らの考えは禅と成り得ます。日蓮正宗も又、世界の民衆に対して責任がある事を知らねばなりません。

今の世は、人心荒廃し、自然災害が多発し、利を求めても財成らず、の世の中です。この根本の原因が、日蓮正宗と創価学会が反目しあっている事に因ります。この二つは、いずれ一つと成らねばなりません。

一切衆生は師であり仏は弟子である、の大聖人様の言葉に従い、「日蓮正宗創価学会」で良いでしょう。立法・司法・行政の三権分立を創価学会・日蓮正宗・一切衆生とします。功徳のパワーがやはり違います。百万言の学会指導、祈りに依りて自然に備う力用《りきゆう》があります。

敬具

川端国重

本門戒壇の大御本尊に一切衆生が帰依し世界に広宣流布する以外に、人間の幸福、人類の平和、世界ひいては宇宙の調和も無い事を、記して終わる。

創価学会を理解するのに、空仮中の三諦から考えると、理解し易い。仮に、創価学会として和合している。空その性質として地涌の菩薩である。中だがその体として現に日蓮正宗と敵対している。

私は法体まします日蓮正宗を、父の様に感じている。同じく人脈溢れる創価学会を、母の様に感じている。日蓮正宗の言い分は、尤もだと思うが、父と母が争っている場合、子としては双方誉め、争いを止めさせるしか無い。私は嘘が嫌いだ。日蓮正宗の御方々の存在が、今後益々重要に成ってゆくだろう。日蓮正宗は、日蓮の正しい宗教、創価学会は、価値創造を学ぶ会、である。世に二仏無し、の道理に従い、創価学会が宗教と成ってしまった現在、統合を希望する。

川端国重

こう書くと、日蓮正宗の皆様は猛反発するだろう。私も同じ心境だ。はっきり言って、ダンテがどうあろうと、ゲーテがどうあろうと仏法には全然関係無い。大御本尊と御法主上人猊下《ごほっすしょうにんげいか》、身近なところでは御住職様の仰《おっしゃ》る通りにするのが、真の師弟不二であり、一人立つ精神も水魚の如く南無妙法蓮華経が正しい。

何分、学会で、一端はそれらを受け入れ、後に仏法の高みに誘引する。という理論なら、やはり日蓮正宗の信心の高みに到る必要がある。学会は、偽本尊に祈り罰の生活をしている以上、これ以降は日蓮正宗には嫌な思いをさせるだろうけど、しっかりした日蓮正宗の信心で、学会を迎え入れるしか無い、と思うのである。それにしたって、日蓮正宗が世界に広宣流布をする場合、文化的な事は否定せず、信心、の根幹は日蓮正宗の義に従わせる、のであるから、一閻浮提《いちえんぶだい》に広宣流布をするのを目指すのであれば、日蓮正宗創価学会の設立、と成る筈である。日蓮正宗創価学会の会長は、御法主上人猊下様が成れば良い。

創価学会から、宗教法人が無くせられれば一番良いかも知れないが、それは無いだろう。日蓮正宗創価学会は、苦渋の選択だ。宗教としては、日蓮正宗が正しい。

どうすれば、日本と世界の民衆が救われるかを皆様に考えて貰える様お願いしたい。私は日蓮正宗創価学会、しか無いと思う。日蓮正宗の清浄な信心を、広宣流布する必要がある。信心の人を抱え込む度量が欲しいものだ。お互いに。信心及び生活全般の事を日蓮正宗の御僧侶様に従うのであれば、何も問題無いと思うのである。一切衆生、日蓮正宗に帰依せよ。

日蓮正宗の信心をするという意味においてのみ、一切衆生は、主師親の三徳を大聖人様より譲り受けるのである。

創価学会設立の目的は日蓮正宗の外護であり、第三代会長池田大作氏も又、化儀《けぎ》の広宣流布を目指して会長に成る事を宣言した。化儀とは我々一切衆生、本儀とは日蓮正宗富士大石寺におはします大御本尊様の事である。不幸にも学会の師弟不二の言葉を池田大作氏が勘違いし、学会は元々本来の役目を忘れ、外護の団体では無くなり、名称も日蓮正宗創価学会から、日蓮世界宗創価学会と成ってしまった。池田大作氏のした世界での対話も、どれだけの人が、日蓮正宗に帰依したか。全員帰依すれば、対話も筆者の認める所である。それは、学会の言う、弟子、に託されている。私から見れば、そんなのは、師弟では無く只の生徒である。師匠とは、御法主上人猊下様であり、身近な所では各日蓮正宗の寺院の御住職様である。

立正安国論とは正を立て国を安んずる、と読む。正とは一に止まると書く。二つも三つも無い道理である。仏法を行ずるに、必ず護らなければならないのが、三宝である。三宝とは仏法僧である。又、三大秘法とは、本門の本尊、本門の戒壇、本門の題目である。三宝、並びに三大秘法が揃っているのは、只、日蓮正宗のみである。

結論と成るが、一切衆生は日蓮正宗に帰依するべきである。そして又、創価学会も又、本分を思い出し、元の日蓮正宗創価学会として外護に努めよ。顕正会は要らない。

# 第4章　信心

信心とは？
なんみょうほうれんげきょう
南無妙法蓮華経
←帰依《きえ》する事
←心身共に全てを捧げる事
何に？→妙法蓮華経に全てを捧げる
←妙法蓮華経とは？
法華経の全体であり、仏の生命である。
妙法——生死共に

蓮華——清浄な生命
経——南無妙法蓮華経と唱える声。
（一切衆生の声を含む。）

詰まり
南無妙法蓮華経は
生死共に清浄な生命を声として
法華経に帰依する、
仏の生命に帰依する、
という意味。
現実の上では、日蓮正宗の正しい御本尊に南無妙法蓮華経（題目）を唱えるしか無い。

蓮華は、泥の中に清浄な花を咲かす。
法華経の行者の例え。
世間を泥に例えている。

末法万年

今は末法、南無妙法蓮華経でしか
人は救えない。

法華経の行者は
必ず難を受ける。
難（迫害）を乗り越えて
自分が成長する。

○信心の助けと成るのが善知識
○信心の妨げに成るのが悪知識

だが、仏法では悪知識さえも善知識に変えゆく心の強さが求められる。
提婆達多《だいばだった》は悪知識だが、釈尊の第一の善知識とされた。

## 仏法の時代観

正法時代―千年
像法時代―千年
末法時代―末法万年

正法時代―釈尊の教えが正しく受け継がれた時代
像法時代―釈尊の教えが形骸化して行った時代
末法時代―釈尊の教えでは救えない時代。これを白法隠没《びゃくほうおんもつ》という。

だからこそ現れたのが日蓮大聖人であり、現されたのが南無妙法蓮華経である。
一切衆生を根本から救う力がある。

祈り方に正しいものは無い。
いつでも南無妙法蓮華経を唱え
心のままに唱えるのが大事。
続ける事自体が大事である。

即身成仏といい、一生成仏という。
願いも喜びも悲しみも苦しみも、いつでも南無妙法蓮華経と唱える事により、自然に仏界に至る。
生は生の仏、死は死の仏
御本尊に向かってゆく求道心が大事である。
自分が南無妙法蓮華経であり、御本尊である、と祈ってゆく事。
正しい御本尊に祈るのが、大事である。それは、日蓮正宗しか無い。

行学《ぎょうがく》絶えなば、仏法はあるべからず。

常に学び行ずる事が大事。

信行学が基本。どれが欠けてもいけない。

信じる事—信じきる
行ずる事—自分も皆も

学ぶ事――日蓮正宗の場で
数珠、念仏の数珠とは違う。
房の三つある方を右手に
房の二つの方を左手に
両方とも中指に挟む。
半回転して手の平に挟む。

祈りは南無妙法蓮華経と心ゆくまであげる。持続が大事。
火の信心より水の信心
火はパッと燃え上がって消える。水は、いつも退《たい》せず流れている。

凡そ、世間の一切の災いは誤った思想宗教に依る。家の宗教、一族の宗教、慣習等から来る一切の邪宗を捨て、一生涯日蓮正宗で信心を貫いて参りましょう。
一切衆生の蘇生と、開く、円満を祈りつつ気持ち悪いという言葉を、投げ掛ける世間。

末法の衆生は、かくのごとく性悪です。
日蓮正宗の信心は、正しい故に魔が競います。
しかし、私の哲学抄、正しい故に世界に広まりゆくでしょう。
必ず。
本有の仏性、を御本尊と正しました。
血脈が日蓮正宗にしか、流れて居ない為です。

# 後書き

長くかかったなあ。やっと終わった。

そもそもが、幼少期母に連れられて寺と学会に一緒に行って居たのだが。静かな寺と、それとは正反対の盛り上がり過ぎて居る学会が、不思議でならなかった。学会の本を読んでも謎は深まるばかりであった。

その頃の夢が、世界中の宗教を理解して、世界を平和にする、だった。

今思えば世界の宗教の中で、学会と日蓮正宗の関係こそが最大の謎だった訳だが。日蓮正宗の信徒団体である創価学会が、功徳を受けあんなに皆楽しそうだったのだ、と理解した。それも今と成っては学会に歓喜は感じられない。あれこれ言わず、私が作った歌を、載せる。

## 折伏

作詞作曲　丸野　宏

皆　お金を貯めよう
みんな　健康に成ろう
み～んな　美しくあろう

日蓮正宗と
創価学会を
一つにする
日蓮正宗創価学会の
誕生だ
それで顕正会の正義も立証される

永遠なるは
御本尊
一切なるも
御本尊

二〇二〇年二月六日　　丸野　宏

完成

どうであろうか？

元々王仏冥合という事が、創価学会と顕正会で言われていたが。

この言葉は政治と宗教が冥合する意味で、使われていた。私は子供心に、「何を言う。創価学会こそ王ではないか！」といつも反発していた。道理と申すは主に勝つものなり、と。創価学会が王、日蓮正宗が仏とすると、全て説明が付くのである。信徒団体である会員一人一人が王であるならば、民主主義の思想とも完全に一致するのだ。日蓮正宗創価学会という仏意仏勅《ぶついぶっちょく》の団体は、日蓮正宗の信徒団体である、という事である。

日蓮正宗は、日本、世界ひいては宇宙の中心と成るべき存在である。信心の血脈無くんば法華経を持つといえども無益なり。

二〇二一年一月十一日　　丸野　宏

恩母御元へ　　琴音と共に

# おまけ

開目抄上　　文永九年（一二七二年）
　　　　　　五十一歳著作
　　　　　　門下一同に与える
　　　　　　　佐渡塚原に於て

そう、あらゆる人の尊敬すべきものは三つあります。いわゆる主と師匠と親とがこれです。又、習学すべきものも三つあります。いわゆる儒教と外道と仏法がこれです。

儒家では三皇・五帝・三王、これらを天尊と崇めます。諸《もろもろ》の働く人の親分、万民の助け船です。三皇以前の人々は父親を知らず、人は皆獣の様に暮らしていました。五帝以後は父母を弁《わきま》えて孝行をしました。いわゆる重華《ちょうか》（帝舜）は頑迷で自分を度々殺害しようとした父親を最後まで敬い、沛公（劉邦）は漢帝となっても敵国であったが徳の高い太公望に礼を失わず拝しました。

難しい難しいと馬鹿にして悪態を付き、我を指導しようとする愚か者よ、汝等は分かろうとして質問するや、批判しようとして聞くや。分からないなら分かる様に努力しなさい。その努力をせずに、分からないものだからと学ぼうとしない。それが逆なのだ。分かろうとして聞く者には答える事も出来よう。

最後に王仏冥合について一言。

王は創価学会であり、仏とは日蓮正宗である。王仏冥合いかに？

日蓮正宗創価学会が答えである。

道理と申すは主に勝つものなり。

〈終わり〉

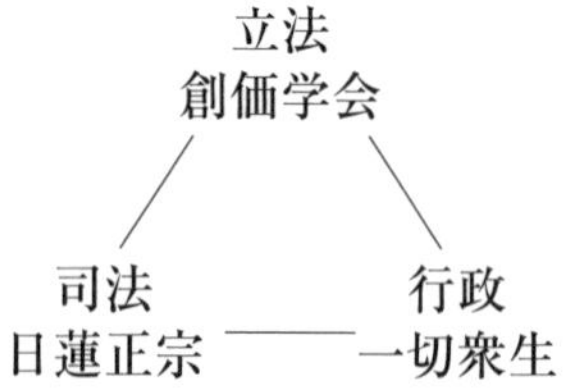

**著者プロフィール**
**丸野 宏**（まるの ひろし）
丸野宏は本名。前作は川端国重の名義で出版したが、今回は本名の丸野宏で出版する。元ゴーストのゼネラルエグゼクティブプロデューサー。動く大仏である川端国重として、和宏堂というお堂でリアル座敷童子である琴音と一緒に不思議な作品作りをしている。公開をご期待ください。

**哲学抄**

2021年10月15日　初版第１刷発行

著　者　丸野 宏
発行者　瓜谷 綱延
発行所　株式会社文芸社
〒160-0022　東京都新宿区新宿1－10－1
電話　03-5369-3060（代表）
03-5369-2299（販売）

印刷所　株式会社フクイン


ISBN978-4-286-23081-8